rhythm & BLUES

Heft 2

VORWORT

Moderne Klänge und synkopierte Rhythmen, wie sie heutzutage im Rundfunk und Fernsehen zu hören sind, können die Quelle faszinierenden Unterrichtsmaterials sein und bieten wertvolle technische Studien. Diese Sammlung von Stücken, die nach dem Motto „es macht Spaß, sie zu spielen" zusammengestellt wurden, nimmt die Rhythmen der „pop" Musik der Vergangenheit sowie der Gegenwart zur Grundlage und beinhaltet Ragtime, Jazz, Blues, Boogie-Woogie und Tänze aus neuester Zeit.

Abgesehen von der rhythmischen Schulung bieten diese Kompositionen dem Schüler zusätzliche Erfahrungen mit einer ganzen Reihe von Tonarten, Zeitmaßangaben, Gruppen von musikalischen Phrasen, Anschlagsmöglichkeiten, Fingersätzen und musikalischen Ausdrücken.

Dieses Heft ist für alle Jugendliche, die Freude an dieser Art von Musik haben. Der Schwierigkeitsgrad entspricht dem der zweiten Stufe.

INHALT

BOSWORTH EDITION

Lively One

*) Akkordsymbole siehe letzte Seite

B.& Co 25 227

Hush Puppy Blues

BEACHTE: Dieses Stück ist am wirkungsvollsten, wenn die Achtelnoten im synkopierten Stil (punktiert) oder in Dreier-Gruppen (Triolen) gespielt werden. (bzw.)

DIRECTIONS: This piece is very effective when the eighth notes are performed with an uneven rhythm: (or)

Jalopy Cat

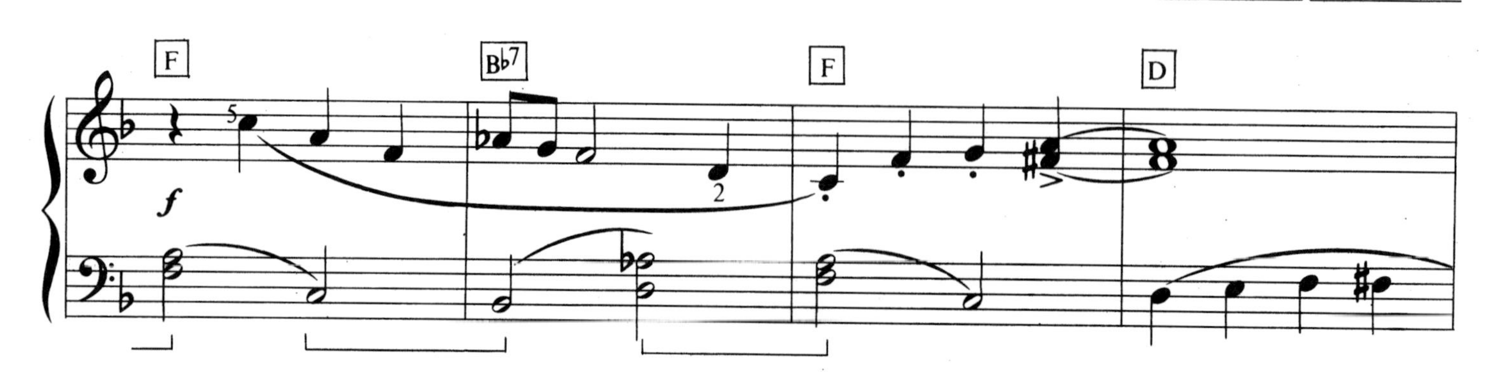

G G7 C Am C7
pp
mp
F E F Dm E Dm
C7 F G7 C
F B♭7 F D D7
f
G7 C7 F B♭7 F

Come Alive!

Presto M.M. ♩ = 168 - 192
G
B♮m
Em
G
C
Em
mf
Am
D7
Em
A7
D7
G
B♭m
f
mf
Em
G
C
Em
Am7
D7
G
D7
G
f

Ramblin'

Grazioso M.M. ♩ = 120 – 138
C
C7
C
mf
p
f
C7
C
C7
F
F7
F
C
p
mf
C7
G7
C
G7
C
C7
G7
C
C7
f
rit.

Giant Burger Blues

BEACHTE: Dieses Stück ist am wirkungsvollsten, wenn die Achtelnoten im synkopierten Stil (punktiert) oder in Dreier-Gruppen (Triolen) gespielt werden. (♩.♪♩.♪ bzw. ♩♪♩♪ 3 3)

DIRECTIONS: This piece is very effective when the eighth notes are performed with an uneven rhythm: (♩.♪♩.♪ or ♩♪♩♪ 3 3)

Em
G
C
B♮7
mp
5
G
Em
G
f
2
3
Am7
B♮7
Em
Em
mp
1
Am
Em
C♯m7
Am6
Em
rit.
1
2
1

Think Young

The Elephant Twist

Rollin' Rhythm

She-Won't-Listen Blues

BEACHTE: Dieses Stück ist am wirkungsvollsten, wenn die Achtelnoten im synkopierten Stil (punktiert) oder in Dreier-Gruppen (Triolen) gespielt werden. (♩. ♪ ♩. ♪ bzw. ♩ ♪ ♩ ♪ 3 3)

DIRECTIONS: This piece is very effective when the eighth notes are performed with an uneven rhythm: (♩. ♪ ♩. ♪ or ♩ ♪ ♩ ♪ 3 3)

the
Chimps

Get Smart

Con brio M.M. 𝅗𝅥 = 63 – 76
F
B♭
F
B♭
F
B♭
F
C
mf
F
B♭
F
B♭
F
C
F
C
A7
G7
G+
C
C+
mp cresc.

F
Fm
C
Cm−
G7
C
A7
f
mp cresc.
G7
G+
C
C+
F
Fm
f
C
F7
C
F
B♭
F
mp
B♭
F
C
F
B♭
F
B♭
F
C
F
f

Get Up and Go-Go

BEACHTE: Dieses Stück ist am wirkungsvollsten, wenn die Achtelnoten im synkopierten Stil (punktiert) oder in Dreier-Gruppen (Triolen) gespielt werden.

DIRECTIONS: This piece is very effective when the eighth notes are performed with an uneven rhythm:

Chip Dip

BEACHTE: Dieses Stück ist am wirkungsvollsten, wenn die Achtelnoten im synkopierten Stil (punktiert) oder in Dreier-Gruppen (Triolen) gespielt werden. (bzw.)

DIRECTIONS: This piece is very effective when the eighth notes are performed with an uneven rhythm: (or)

27 Flavors Blues

BEACHTE: Dieses Stück ist am wirkungsvollsten, wenn die Achtelnoten im synkopierten Stil (punktiert) oder in Dreier-Gruppen (Triolen) gespielt werden.

DIRECTIONS: This piece is very effective when the eighth notes are performed with an uneven rhythm:

Moderato M.M. ♩ = 84-100

G7
Gm6
G7
D
f
D
pp
G7
f
D
p
f
A7
Am6
A7
p
G7
Gm6
G7
D
ff
A6
D

Dime-a-Dozen

BEACHTE: Dieses Stück ist am wirkungsvollsten, wenn die Achtelnoten im synkopierten Stil (punktiert) oder in Dreier-Gruppen (Triolen) gespielt werden. (♩. ♪♩. ♪ bzw. ♩♪♩♪)

DIRECTIONS: This piece is very effective when the eighth notes are performed with an uneven rhythm: (♩. ♪♩. ♪ or ♩♪♩♪)

Giocoso M.M. ♩ = 116 – 132

Runaround

BEACHTE: Dieses Stück ist am wirkungsvollsten, wenn die Achtelnoten im synkopierten Stil (punktiert) oder in Dreier-Gruppen (Triolen) gespielt werden.

DIRECTIONS: This piece is very effective when the eighth notes are performed with an uneven rhythm:

Juke Box Blues

BEACHTE: Dieses Stück ist am wirkungsvollsten, wenn die Achtelnoten im synkopierten Stil (punktiert) oder in Dreier-Gruppen (Triolen) gespielt werden.

DIRECTIONS: This piece is very effective when the eighth notes are performed with an uneven rhythm:

Big Blast

BEACHTE: Dieses Stück ist am wirkungsvollsten, wenn die Achtelnoten im synkopierten Stil (punktiert) oder in Dreier-Gruppen (Triolen) gespielt werden.

DIRECTIONS: This piece is very effective when the eighth notes are performed with an uneven rhythm:

Schaum-Akkord-Lexikon

Im internationalen Gebrauch werden die durch Versetzungszeichen erhöhten oder erniedrigten Noten lediglich durch ein ♯ bezw. ♭ ergänzt.
So wird B(♮) *Bb*, Es *Eb*, As *Ab*, Fis *F♯*, Cis *C♯*, Gis *G♯* geschrieben, usw.
Die Bezeichnung *dim* bedeutet vermindert und *maj* übermäßig.

Bei *F♯ - Akkorden* ist die *Gb - Bezifferung*, bei *C♯ - Akkorden* die *Db - Bezifferung*, bei *G♯ - Akkorden* die *Ab - Bezifferung* und bei *D♯ - Akkorden* die *Eb - Bezifferung* anzuwenden.

Bedarfsweise können die Akkorde auch umgekehrt werden: G — D H G — G D H — H G D